KB103135

로봇 아저씨와 그의 고양이

발 행 | 2024년 05월 08일
저 자 | 김 응
펴낸이 | 한건희
펴낸곳 | 주식회사 부크크
출판사등록 | 2014.07.15(제2014-16호)
주 소 | 서울특별시 금천구 가산디지털1로 119 SK트윈타워 A동 305호
전 화 | 1670-8316
이메일 | info@bookk.co.kr

ISBN | 979-11-410-8412-7

www.bookk.co.kr

로봇 아저씨와 그의 고양이

김 응 지음

__차 례

로봇 아저씨와 그의 고양이 9

우주에서 늑대를 만난 아이

로봇 아저씨와 그의 고양이

이별과 시작

하늘 높이 하얀 구름이 뭉게뭉게 떠 있었다. 부드러워 보이는 하얀 목화솜을 동글동글하게 뭉쳐 놓은 것 같았다. 그 사이사이에 작고 귀여운 천사들이 숨어 있는 것처럼 구름은 햇살을 받아 반짝거리며 서서히 흘러가고 있었다. 천사들이 있었다면, 세상을 내려다보며 어떤 생각을 했을까? 천사들도 곧 집으로 돌아갈 것 같은 고즈넉한 가을날의 어느 저녁이었다. 귀뚜라미 소리가 들렸다.

떨어진 낙엽들로 앙상해진 나무는 가을을 마무리하는 듯했고, 그 풍경을 바라보던 할머니는 온 우주에서 가장 평온한 모습으로 두 눈을 감으셨다. 입가에 미소를 머금고 모두에게 "괜찮아! 슬퍼하지 마!" 라고 말하고 있었다. 천사들이 할머니를 기다리고 있었는지도 모른다는 생각이 들었다.

로봇 아저씨는 돌아가신 할머니 옆에 서서 꺼이꺼이 울고 있었는데, 할머니는 그 모습을 보고 무슨 로봇이 그렇게까지 우냐며 껄껄껄 웃으셨다. 할머니는 그렇게 몇 번이나 죽은 체를 하며 로봇 아저씨에게 장난을 쳤다. 그러다 정말로 하늘나라로 가신 날에는 로봇 아저씨도 울지 않았다. 할머니의 죽음 앞에서 단단하게 서 있을 수 있도록 예행연습을 시켰던 것 같았다. 할머니는 그녀의 죽음에 사람들이 그렇게까지 우는 것이 달갑지 않았다. 충분히 행복했노라고! 내 생에 아쉬움은 없었다며 그렇게 남은 생을 마무리하셨다.

가슴에 검은 리본을 달고 로봇 아저씨가 상주를 맡았다. 상주를 맡을 자손이 없었고, 그것이 할머니의 유언이기도 했다. 할머니는 그가 가족이나 다름이 없으니 상주를 할 자격이 충분하다고 말씀하셨다. 문상 온 사람들은 로봇을 마주하고 절을 하는 것이 꽤 이상했다. 모두가 그것이 할머니의 아이디어라고 생각했다. 아무도 의심하지 않았다. 그럼에도 또 어색한 감정은 어쩔 수 없었다. 몇몇은 절을 하기 전에 고개를 갸웃하며 주춤거렸다. 할머니는 그 상황이 재미있을 거라고 말씀하셨다. 혼자 상상하고는 껄껄 웃으셨다. 자신의 죽음에 대해서 하나도 슬퍼하지 않았던 여인이었다. 그런 상황을 슬퍼하고 아파했던 것은 로봇 아저씨와 그의 고양이뿐이었다.

로봇 아저씨는 추운 겨울이 오기 전에 모든 일을 마무리할 수 있어서 다행이라고 생각했다. 통계적이고 과학적인 판단의 생각이 아니라, 그저 조금 덜 추운 날에 할머니를 보내드려서 다행이라는 의미였다. 그렇게 복잡한 생각은 하지 않았다. 그저 단순하게 슬픈 감정이 그의 메모리 속을 가득 메우고 있었다. 그것이 기술적으로 가능한 일인지에 대해서는 설명하기가 어려웠다. 돌아가신 할머니의 방을 정리하고 할머니가 쓰던 물건들을 박스에 차곡차곡 담았다. 할머니는 당신이 돌아가신 후에 해야 할 일들을 로봇 아저씨에게 미리 알려주었다. 심지어 그 박스의 디자인도 할머니가 직접 골랐다. 물건들을 정리할 때마다 할머니 생각이 떠올랐지만, 로봇 아저씨는 그 일을 담담하게 받아들였다. 그의 고양이도 마찬가지였다. 버릴 것은 버리고, 박스를 다용도실에 모두 옮겨 놓으니, 방안이 썰렁해 보였다. 방에는 할머니의 침대밖에 남지 않았다. 침대 위에 누워 보았다. 오래된 때가 눅눅하게 얼룩진 천장이 보였다. 할머니가 저 천장을 얼마나 많이 보았을까 하는 생각이 들자 가슴이 아려왔다. 일어나서 물티슈로 천장을 문질러 보았다. 닦아보니 좀 깨끗해지기는 했다. 얼룩이 지워지자 또박또박 작성한 글씨가 나타났다.

'그동안 수고했다.'

할머니는 본인이 없을 때 제일 걱정되는 것이 고양이라고 하시며, 마지막으로 고양이를 부탁한다는 유언을 남겼다. 살아남은 생명은 고양이 밖에 없었으니 충분히 납득할 만한 유언이었다. 모든 재산은 로봇 아저씨에게 남겨졌다. 돌봄 로봇에게 상속이 가능할까 싶었지만, 고양이를 돌보아야 한다는 점에서 그러한 내용이 받아들여졌다. 고양이를 시설에 보내는 일은 일어나지 않았다. 법적으로 문제가 없었다는 이야기다. 고인의 집에 남아서 반려묘를 지키는 로봇은 흔하지 않을 것이다. 필요했던 모든 절차는 할머니를 담당했던 사회복지사가 도와주었다. 덕분에 정부로부터 필요한 허가와

서류도 잘 마무리 지었다. 하지만 로봇 아저씨는 저 고양이가 누구 도움 없어도 아주 잘 살아갈 거란 생각을 했다. 그 생각은 할머니와 함께 살고 있을 때도 늘 하던 생각이었다. 단지 할머니가 계시던 이 집과 고양이와의 삶이 할머니는 안 계시지만 어느 정도 유지되기를 바랐다. 로봇 아저씨는 할머니의 흔적과 추억이 순식간에 사라지는 것을 원치 않았다.

되돌아보면 할머니와 로봇 아저씨 그리고 시크한 고양이 한 마리는 이 집에서 비교적 유쾌하고 행복한 시간을 보냈다. 이제 남은 것은 이 시크한 고양이를 마지막까지 잘 돌봐 줌으로써 행복한 시간의 마무리를 짓는 것이었다. 그것이 최선의 해피엔딩이었다. 할머니가 로봇 아저씨에게 부여한 임무이기도 했다. 이런 임무를 맡은 로봇 아저씨는 본래 집안일을 맡아서 도와주는 집사나 가사 도우미 같은 돌봄 로봇의 한 종류였다. 생각도 하고, 글도 쓰고, 차도 마시며, 밥을 먹을 수 있는 기능이 있는 나름 최신형의 로봇 있었다. 처음에 집에 올 때만 하더라도 가장 뛰어난 최신의 기종이라는 자부심이 있었다. 적어도 그 당시에는 말이다. 할머니와 식탁에 앉아 함께 식사하고, 공원에서 산책을 하기도 하고, 책을 읽어주거나 차를 한 잔 같이 마시는 것도 로봇의 일이었다. 가끔 로봇 아저씨는 할머니와 함께 차를 마시며 재미있는 이야기를 들려드리곤 했다. 노후에 말벗이 되는 로봇과 함께 사는 일은 매우 중요한 일이었다. 할머니는 이야기 들려주는 것을 좋아하셨다. 로봇은 그렇게 애정 어린 시선으로 최선을 다해 할머니를 돌보았던 것 같다. 그 모습은 마치 할머니를 사랑하는 것처럼 보였다. 그럴 때마다 할머니는 자상했던 할아버지 생각이 났다. 로봇 아저씨는 할머니의 집사, 보호자이자 친구, 또는 연인이었다. 그런 로봇을 할머니는 늘 아저씨라고 불렀다. 가끔 할머니의 집에 놀러 오는 친구분들과 동네 할아버지 그리고 사회복지사도 로봇을 로봇 아저씨라고 불렀다. 할머니가 돌아가신 할아버지를 아저씨라고 불렀던 것을 기억해 보면 그것이 얼마나 애정어린 호칭이었는지 모른다.

로봇 아저씨와 그의 고양이

할머니는 창밖을 바라보며 차를 마시는 것을 좋아하셨다. 창문 너머로 작은 정원이 보였다. 그리고 좀 더 멀리 바라보면 계절마다 아름다움을 뽐내는 작은 산이 있었다, 산의 중턱 부분에는 멀리서도 눈에 띄는 커다란 나무 한 그루가 있었다. 오래된 은행나무였다. 저렇게 커다란 나무가 되기까지 얼마나 오랜 시간을 버텼을까? 할머니는 그 나무를 좋아하셨지만, 한 번도 가까이서 본 적은 없었다. 멀리 있는 것은 대체로 아름다워 보이기 마련이다. 할머니는 은행나무 본래의 아름다움 그 이상을 보셨는지도 모른다. 정원에는 세월을 닮은 비와 바람을 맞으며 형형색색의 꽃들이 피고 졌다. 할머니가 떠난 이후에도 여러 계절이 지나고 꽃은 그 자리에서 피고 지고 있었다. 하루하루 벌어진 일과 그들의 대화, 그리고 사색에 대한 아름다운 추억은 로봇 아저씨의 메모리에 차곡차곡 쌓여있었다. 로봇 아저씨는 가끔씩 창가에 앉아 그 추억들을 재생해 보며 할머니를 그리워했다. 그 추억의 한 자리에 커피와 음악이 있었다. 아침이 되면 평상시와 다름없이 커피를 내리고 음악을 들었다. 오래된 진공관 스피커에서 따뜻한 음색의 재즈가 흘러나왔다. 팡팡 울리는 재즈 소리는 커피잔에서 모락모락 올라오는 연기를 흔들고 지나가는 것처럼 보였다. 배가 부른 고양이는 보통 창밖으로 나가 어딘가를 돌아다니다가 들어오곤 했는데, 오늘의 시크한 고양이는 잔잔하게 흐르는 재즈를 들으며 창가에 앉아 쉬고 있었다. 정원에 떨어진 낙엽을 보고 있었던 것 같았다.

로봇 아저씨는 원목 의자에 앉아 커피를 마셨다. 화사한 꽃이 조각된 오래된 원목 의자였다. 할머니가 즐겨 앉던 의자이기도 했다. 그가 앉아서 할머니의 일상을 대신하는 중이었다. 그러면서, 추운 겨울이 오기 전이어서 다행이었다고 생각을 했다. 그렇게 가을이 끝나갈 무렵이면, 같은 생각을 반복하면서도 그것이 이상하다는 생각을 한 적이 없었다.

할머니가 살아 계셨을 적과 다름없이, 로봇 아저씨와 그의 고양이는 늘 할머니의 일상을 재현해 내는 것이 행복이라고 여겼다.

로봇 아저씨는 커피를 마시기 전에 아침마다 고양이의 모래를 정리하고 사료와 물을 챙겨주었다. 그럴 때면 잘하고 있는지 감시하는 듯 로봇 아저씨를 지긋이 쳐다보는 고양이가 있었다. 매번 의심스러운 표정이었다. 간혹 로봇 아저씨와 눈이 마주치기라도 하면 "야~옹~" 하고 소리를 내었다. "똑바로 해~" 라는 의미였는지도 모른다. 로봇 아저씨는 기본적으로 할머니를 돌보는 것 위주로 설정이 되어서 그런지 고양이를 보살피는 것에는 서투른 점이 많았다. 고양이와 관련된 데이타를 업데이트 받아야 했는데, 아직 받지 못했기 때문이었다. 모르는 사람이 보면 고양이에 대한 애정이 부족하다고 생각했을 것 같다. 로봇에게 애정을 기대하는 것이 오히려 이상한 설정일 수도 있지만 말이다.

그의 집에는 아직도 가끔 할머니를 추억하며 놀러 오는 사람들이 있었다. 할머니와 일상을 함께 하던 주변 지인들이었다. 로봇 아저씨는 그들에게도 따뜻한 커피를 대접했다. 그럴 때면 고양이는 탁자 밑이나 책장 위에 올라가 그들의 모습을 먼발치에서 살펴보곤 했다. 그러다 눈이 마주치면 고개를 돌리거나, 보이지 않는 곳으로 숨었다. 익숙할 만도 싶은데 고양이는 늘 그렇듯이 언제나 시크했다. 그런 고양이를 보면서 로봇 아저씨는 자신에 대한 불만을 그렇게 표현했는지도 모른다고 생각했다. 로봇 아저씨는 방문한 손님들에게 할머니에 대한 이야기를 들려주기도 하고, 또 그들의 고민이나 자랑을 들어주기도 했다. 로봇 아저씨는 그것도 로봇의 일이라고 생각했다.

당신을 기억하는 미소

아침 햇살에 눈을 떴을 때
당신의 자리에서 꽃이 피어 났다.

당신의 꽃은
화사한 봄의 풍경을 닮았다.

그 꽃은
내가 기억하는 순간 순간의
아름다운 추억을 발하며
활짝 만개해 있었다.

휘리릭

풀잎 소리를 내며

꽃잎을 스쳐

바람처럼 지나간

눈물

눈물을 훔치고

당신을 기억하는

나의 미소는

매일 같이

꽃과 함께 피어났다.

고양이

내가 사랑했던 그 사람은

다시 태어나 고양이가 되었다.

고양이가

배가 부를 때에는

꽃밭에 서서

그들의 향기를 바라보며

하루를 보내곤 했다.

나와 마주친 당신은

땅을 한 번 보고

주위를 한 번 보고
다시 제 길로 가버리는 일도
아무렇지 않았다.

당신이
그렇게 꽃을 좋아하는 것을 알면서도
정작 한 번

눈 마주치기가 어려웠던 것처럼
나는 꽃을 선물한 적이 없었다.

당신이 고양이가 될 때까지
나는
제대로 한 것이 없었다.

우주 여행

이봐 고양이 양반

나는 우주 여행을 할거야.
당신을 돌보는
내 마지막 임무가 끝나면
나는 어디든 갈 수 가 있어.

그때가 되면
나는 로봇이 아닌
그냥 아저씨가 되는 거야.

그렇게 떠돌다 보면
다시 만나게 되겠지?

우주에 머무는

당신의 영혼을 만나서

함께

차를 마시는 날

할머니는 말씀하셨어.

그때 다시

만나는 거라고.

옆집 할머니

'똑똑'하고 현관문을 두드리는 소리가 들렸다. '똑똑' 거리는 소리만 듣고도 옆집 할머니라는 것을 짐작할 수 있었다. 현관문 옆에 호출하는 버튼이 있었지만, 옆집 할머니는 꼭 문을 두드리는 습관이 있었기 때문이었다. 문을 열어 보니 역시나 옆집 할머니였다. 따듯해 보이는 빨간 가디건 위에 오리털 베스트를 겹쳐 입고 문 앞에 서 계셨다. 옆집 할머니는 동그란 돋보기 안경을 손으로 밀어 올리며 로봇 아저씨에게 인사를 건넸다. 가랑거리고 힘이 빠진 목소리였지만, 친절했으며 밝고 경쾌하게 들렸다. 옆집 할머니는 꽤 밝은 분이었다. 책장 위에 올라가 있던 고양이도 할머니 쪽으로 고개를 돌렸다. 야옹~ 하고 할머니를 반기는 듯했다. 아침부터 무슨 일이었을까? 아마도 장 보러 갈 때에 물건 몇 개를 사다 달라는 부탁 때문에 온 것 같았다. 그 생각은 맞았다. 변함이 없었다. 연세 드신 분에게 변함이 없다는 것은 좋은 일이기도 했다. 가끔 그런 부탁을 하신다. 아직까지도 온라인 주문에는 익숙하지 않은 모양이었다. 혹시나 배송비를 아끼려는 생각인지도 모른다고 의심할 수도 있겠지만, 그것은 바람직하지 않은 생각이었다. 옆집 할머니는 고양이의 간식도 함께 주문하셨다. 고양이 간식을 주문한 것은 부탁에 대한 일종의 보답이었다. 그걸 알아들었는지는 모르겠지만, 고양이가 책장에서 내려와 옆집 할머니의 다리 근처를 맴돌았다. 둥그렇게 뜬 눈으로 할머니를 지긋이 바라보고 있었다. 로봇 아저씨는 그 행동이 귀여워 보이려는 수작이라고 생각했다. 옆집 할머니가 아침에 다녀간 후에는 자신의 간식이 생긴다는 일종의 패턴을 알고 있는 영악한 고양이였다.

로봇 아저씨는 무언가 사다 달라는 그런 부탁이 싫지 않았다. 꽤 심심하고 무료한 인생에서 그런 작은 이벤트는 오히려 반갑기까지 했다. 해야 할 일이 생긴다는 것은 귀찮은 일이 아니라, 그의 존재 의미를 부각시키는 생동적인 일이었다. 어차피 카트를 끌고 다녀올 것이기 때문에 힘이 들 일도 없었다. 로봇이었기에 참 좋은 것은 그 부탁받은 목록을 일일이 적지 않아도 잘 기억한다는 점이었다. 옆집 할머니의 부탁 덕분에 오늘은 고양이와 함께 장을 보러 갈 일이 생겼다. 가는 길에 필요했던 물건도 함께 사기로 했다. 옆집 할머니가 책도 한 권 사달라고 부탁했는데, 책의 제목은 『말 잘 듣는 로봇 길들이는 법』이었다. 로봇은 원래 말을 잘 듣는 편이라구요.

열대어와 함께

할머니가 키우던 열대어 어항이 있었다.

여러 종류의 열대어들 중에서
바닥을 돌아다니며 놀던
코리도라스 세 마리가 있었다.

아침엔 마지막 남은 한 마리를
끝내 보내주어야 했다.

이제 코리도라스라는 존재는
남아 있지 않았다.

녀석들이 살아가는 와중에

나는 사료를 주었고

그들은 그들의 삶을 살았다.

서로의 삶에 크게 관여한 바는 없었다.

열대어의 삶은 참 짧았다.

로봇의 기준에서는 그랬다.

짧았던 이별의 주기에도

겉으로 담담했지만,

꼭

그렇지만은 않았다.

나는 너에게 따뜻한 술 한 잔을 보내기로 했다.

누군가를 보내는 일

추웠던 겨울을 보내는 일과 같아서.

노트

  나뭇잎들이 많이 떨어져 있었다. 빗자루를 가지고 집 앞을 청소하다가 옆집 할머니와 눈이 마주쳤다. 할머니는 마침 집 밖으로 나오던 와중이었다. 로봇 아저씨가 할머니께 인사하려는 찰나 할머니는 "앗!" 하더니 뭔가 기억이 났다는 표정으로 집 안으로 다시 들어갔다. 로봇 아저씨는 할머니의 뒷모습을 보며 '안녕하세요'라고 인사하고 있었다. 타이밍이 늦었다. 잠시 후 집에서 나오며 이리 오라고 손짓하시는데, 할머니의 손에 들려진 것은 꽃잎이 한가득 그려진 종이 노트였다. 로봇 아저씨를 향해 종이 노트를 흔들고 있었다. 꽤 오래된 디자인 같았다. 노트를 문지르면 램프의 요정 지니가 나와서 소원을 들어줄 것 같다는 생각이 들었다. 할머니는 웃으며 로봇 아저씨에게 그 노트를 건네었다.

"집에 있던 건데, 아저씨 생각이 났어. 이 노트에 로봇 아저씨가 자주 해주던 이야기를 써보면 어떻겠나?"

옆집 할머니는 로봇 아저씨가 글쓰기를 좋아한다는 것을 알고 있었다. 가끔 집에 놀러 왔을 때에 차를 마시며 그의 이야기를 듣기도 했다. 로봇 아저씨는 평소에 생각이 많고, 상상하는 것도 좋아하니까 그것이 할머니와의 추억을 기리는 일에도 도움이 될 것 같다는 말씀이었다. 노트를 받아 들고 감사하다는 말을 건넸다. 그리고, 글을 쓰기로 했다. 그 모습을 보던 고양이가 씨익 하고 웃음을 짓는 것 같았다. 고양이가 노트를 헤집어 놓을 지도 모른다는 생각이 들었다.

식탁에 노트를 올려놓고 앉았다. 창밖을 바라보니 잎이 다 떨어져 버린 단풍나무가 보였다. 마지막으로 떨어지지 않은 잎 몇 장이 안타깝게 매달려 있었다. 단풍나무 아래 벤치에 앉아있는 할머니의 모습이 그려졌다. 할머니는 커피를 꽤 오랜 시간 들고 있는 편이었다. 커피를 마신다기 보다는 커피에서 올라오는 따뜻한 향기를 즐기는 게 맞다는 생각이 들었다. 언젠가는 할머니가 먼 하늘을 바라보다 할아버지의 이름을 부르며 무언가 이야기하는 것을 들은 적도 있었다. 존재하지 않는 사람과 대화를 나누는 것이 그때는 이해가 되지 않았지만, 로봇 아저씨는 이제 조금이나마 그 의미를 느낄 수 있었다. 나중에 안 사실이지만 그 커피를 담았던 컵은 생전에 할아버지가 만들어 준 것이었다. 로봇 아저씨는 그 컵에 남은 커피를 마저 비우다 문득 할머니 생각이 났다.

혹시나 싶어서 노트를 문질러 보았다. '펑'하고 안개가 피어오르며 지니가 나타나는 상상을 했다.

산책을 하다

고양이와 함께 산책하는 길이었다.

사람들은 그럴 때마다

산책하는 고양이를 신기하게

바라보았다.

단풍은

간밤의 빗소리에 놀랐는지

땅바닥에

힘없이 늘어진 채 떨어져 있었다.

그렇듯 비가 내리고 나면

풍성했던 감정의 향연은

헛헛한 기분으로 남는다.

마치

지난 벚꽃이 그러했던 것처럼

요리를 하는 중

장을 봐온 식재료를 다듬고 음식을 만들고 있었다. 식탁에는 고양이가 앉아 있었다. 사실 할머니가 계시지 않은 지금에서는 요리를 할 필요가 없었다. 로봇 아저씨는 음식을 먹으면서 에너지를 얻을 수 있지만, 그냥 전원을 통해 충전을 해도 그만이었다. 그럼에도 음식을 만들고 식사를 준비하는 일은 오랜 시간 동안 굳어진 습관 때문이었다. 할머니와의 추억을 잊지 못해서였는지도 모른다. 고양이는 물끄러미 로봇 아저씨를 쳐다보며 야옹~ 하고 말을 걸었다. "너 지금 뭐하니?"라는 뜻이었을 것 같다. 로봇 아저씨는 양배추를 채로 썰어서 샐러드를 만들었다. 문득, 양배추 한 움큼을 고양이 사료와 섞어 보았다. "너도 야채를 좀 먹어야 하지 않겠니?" 사료를 받아 든 고양이는 그것을 잠자코 바라보기만 했다. 로봇 아저씨에게서 꼬르르 소리가 났다. 자신이 만든 요리를 무척

이나 맛있는 듯이 먹고 있는 중이었다. 로봇 아저씨가 앉아서 음식을 먹을 때에는 뱃속에서 꼴꼴 하는 모터 소리가 났다. 할머니는 그 소리가 나면 흐뭇하게 로봇 아저씨를 쳐다보곤 했다. 로봇 아저씨가 음식을 다 먹을 때까지 고양이는 사료를 먹지 않았다. 다시 해달라는 항의의 표시였다. 로봇 아저씨는 양배추만 골라서 다시 잘게 썰어서 섞어 주었다.

농담

할아버지는

농담처럼 하시던 말이 있었다.

로또가 되면

소고기 사먹겠지.

그거 다

당신이랑 먹겠지.

그럼 내가

누구랑 먹니?

할머니가 그렇게 정색을 해도

변하지 않았던

그러한 농담.

할머니는 집이 좋아

사람이 많이 몰리고

줄까지 서서 먹는

식당에는

왠지 가고 싶지 않아.

기다리는 시간도 아깝고

저렇게 바쁜데

음식을

깨끗하고

깔끔하게 서빙하기란

정말

힘든 일이거든.

평온해 보여도

주방 안은 전쟁터일 거야.

어디에서고

전쟁은

일어나지 않았으면 좋겠다는

생뚱맞은 생각.

그래서 할머니는 식당에 가는 것을

좋아하지 않았다.

청소

로봇 아저씨는 고무장갑을 착용하고, 화장실에 있는 고양이 모래를 비닐봉지에 모두 넣었다. 새로운 모래로 교체하기 위해서였다. 그러고 나서 화장실 내부의 바닥과 벽면을 세제로 깨끗이 닦아주었다.

"이봐~ 고양이 양반~ 이제 웬만하면 대소변은 직접 치우면 안될까? 아님 여기 변기가 있으니까. 볼일 보고 물을 내리라구~ 난 그랬으면 좋겠네~"

고양이는 무슨 황당한 소리를 하냐는 표정으로 로봇 아저씨를 바라보다가 고개를 돌려버렸다. 로봇 아저씨의 궁시렁거리는 소리가 계속되자 고양이는 벽을 마주하고 서서 벽에 이마를 박고 눈을 감았다. 귀도 막고 싶었다.

"다른 집 고양이들은 자기 똥을 직접 치우지 않아~"라고 고양이가 생각했을 것 같다.

그리고, 바닥에 몽글몽글한 고양이 똥이 한 덩어리가 톡 하고 떨어졌다.

셀카 놀이

　로봇 아저씨는 한 손에 고양이를 안고 거울 앞에 서서 셀카를 찍었다. 다리 한쪽을 내밀어 보기도 하고, 고양이를 다른 팔로 바꾸어 안아 보기도 했다. 오른쪽 왼쪽으로 고개를 까닥여 보기도 하고, 표정을 바꾸기도 했다. 할머니에게 보여주고 싶어서였다. 좀 더 정확히는 납골당에 있는 할머니의 유골함에 사진을 가져다 놓기 위해서였다. 보통의 로봇과 인간과의 관계에서는 나타나지 않는 행동인데, 로봇 아저씨는 유독 돌아가신 할머니가 그리웠다. 참고로, 얼마 전에 생활비로 사진 어플을 유료로 구매했다. 좀 더 뽀샤시하고 멋있게 나오는 필터가 있었는데, 한 10년쯤 젊어 보인다나? 로봇 아저씨는 그런 효과가 너무 마음에 들었다.

　사진을 찍는 내내 관절에서 끼익 끼익 하고 삐그덕 하는 모터 소음 소리가 났다.

얼마 전에 옆집 할머니가 자신과 함께 살자는 이야기를 했었다. 사진을 찍다가 잠시 그 생각이 났다. 그녀도 나이가 많이 들어서 돌봄 로봇이 필요하기도 했다. 그래서 같이 살자는 그 의미는 이해가 갔다. 그리고 로봇 아저씨만큼 그녀를 잘 아는 로봇도 없었다. 하지만 로봇 아저씨는 선뜻 대답을 하지 못했다. 그럴까 생각이 들었다가 이내 마음이 바뀌었다. 그러면 안 될 것 같다는 생각이 들었기 때문이었다. 왜 안 되는지에 대해서는 설명할 수가 없었다. 평소 그렇게 똑 부러지는 그였지만, 이런 기분에 대해서는 설명할 수가 없었다. 고양이에게 너는 옆집 할머니하고 같이 살고 싶냐고 물어보았지만 딱히 대답이 없었다. 고양이도 마찬가지였을 것이다. 고양이는 사진을 찍다가 내려놓자마자 책장 위로 달아나 버렸다. "고양이 양반이 셀카를 알 리가 없지!"

이쁜 짓 하는 로봇

할머니는 나를 이뻐하셨다.

이쁜 로봇이어서가 아니라

이쁜 짓을 하는 로봇 아저씨여서

할머니는

사진을 찍고

그것을 올리고

다시 웃고

로봇은 더 이뻐지는

그러한 과정의

연속이었다.

아름다운

선순환의 고리

사진과 모델

철이 바뀌면 공원에 나가

사진을 찍었다.

나무에 기대거나

꽃 송이 아래 서거나

한적한 벤치에 앉아

모델이 되어주던

다소곳한

그날을 기억했다.

서비스 센터

하늘이 참 맑은 날이었다. 푸르른 하늘을 사진에 담았다. 자주 있는 날이 아니었다. 날도 좋은 김에 서비스 센터에 갔다. 가끔씩 팔이나 다리를 움직이는 것이 불편해서였다. 관절의 모터가 좀 뻑뻑한 느낌이 있었다. 사실 연식이 오래되어서 고장이 생길 즈음이기도 했다. 관리가 필요했다. 부품이나 몇 개 바꿔볼까 생각했는데, 결과는 메인 기판을 교체해야 한다고 했다. 그렇게 되면 기억을 초기화해야 하는 문제가 있었다. 백업을 하고 다시 복원해 줄 사람이 필요했다. 복원한다고 해도 100% 완벽하지 않을 수 있었다. 로봇 아저씨는 증상만 확인하고 집으로 돌아왔다. 교체하지 않기로 했다. 교체할 수가 없었다. 이렇게 지내기로 했다. 집으로 돌아오니 그렇게 맑던 하늘이 흐리게 변해 있었다. 마음이 흐려졌는지도 모른다.

충전이 필요해

시간을 내고

좋은 곳을 찾아가

마음을 비우는

명상을 하기도

한다는데

나는 지금

아무런 생각이 없다.

일을 하는

와중이었다.

생각해야 할 것이

많을 때

오히려

머리 속이 하얗다.

전력이

모자란지도 모르겠다.

충전이 필요한 하루

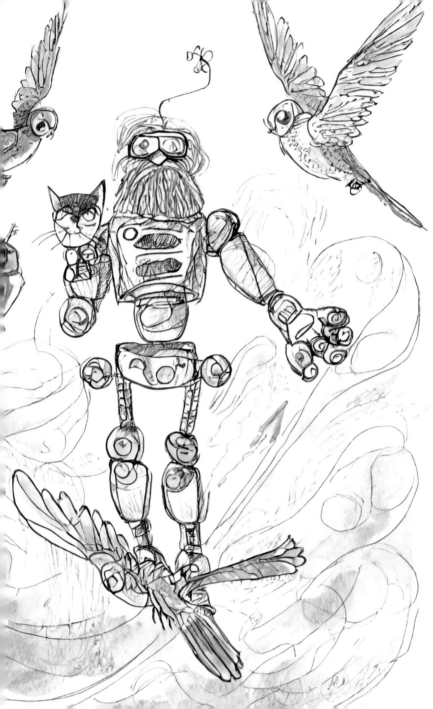

낚시를 하다

고양이와 함께 낚시를 하러 나왔다.

할아버지가 쓰던 낚시 장비가 집에 있었다.

로봇도 할아버지와 마찬가지로

머리가 복잡할 때면

낚시를 하러 나온다.

머리가 복잡한 로봇이라니

말도 안되는

상황 같지만

로봇 아저씨는

그것을

오류의 하나 일거라고 생각했다.

나와 당신이 연결된

오류

나와

당신의

오류

TV에 빠지는 시간

TV에서 새로 나온 인공지능 로봇에 대한 광고가 나오고 있었다. 더 빠른 연산 능력과 한층 더 인간과 비슷해진 예쁜 로봇에 대한 광고였다. 로봇 아저씨는 광고를 무심히 바라보다, 광고가 끝나고 뉴스가 나오자 쇼파에 앉아 TV를 보기 시작했다. 굳이 TV를 보지 않더라도 네트워크를 통해서 필요한 정보는 조회해 볼 수 있었지만, 이렇게 앉아서 화면을 보는 것이 좋았다. 며칠 후에 폭우가 내릴 수 있으니 미리 준비하라는 기상 캐스터의 안내가 나왔다. 기상 이변으로 인해서 폭우가 쏟아지며 도심이 마비되는 외국의 사례도 소개가 되었다. 그래도 이 동네는 괜찮은 편이었는데, 아무튼 준비는 해야 할 것 같았다.

저녁 시간이 되면 로봇 아저씨는 꼭 TV를 켜 놓았다. 할머니가 즐겨보시던 예능 프로그램과 그것이 끝나면 나오는 뉴스를 보기 위해서였다. 방송을 볼 때면 할머니와 맞장구를 치며 기사에 대한 평가를 하기도 했다. 가끔 팩트 체크를 하며 할머니에게 내용을 설명하기도 했다. 그렇게 드라마나 기사를 보며 함께 감정을 나누는 것이 좋았다. 그것이 할머니의 기분을 살피며 반응하는 동작이라고 하더라도, 로봇 아저씨는 그런 일상에서 행복을 느꼈던 것 같았다. 할머니의 감정과 호흡을 함께 했던 기억 때문인지, 이제는 혼자서 뉴스를 보면서도 비슷한 행동을 하곤 했다. 옆에서 들어주는 사람은 없었다. 때로는 고양이를 쳐다보며 함께 동조해 줄 것을 바라는 듯한 표정을 짓기도 했지만, 고양이는 그것에 관심이 없었다. 그저 야옹~ 하며 로봇 아저씨를 한 번 쳐다보고는 다리 사이에 고개를 묻었다.

비(非)아름답다.

내가 싫어하는 사람이라도

그가 해꼬지를 당했을 때

이를 안타까워하지 않는

마음이 든다면

내 안에 악마가 있는 것이다.

비정하고

무례한 인간들을 혐오하는

나도

어쩌면 그들과 같다.

혐오의 세상은

비(非)아름답다.

할머니께선 그렇게 말씀하셨다.

사랑하는 청춘이여

격조 높은 사랑의 서곡을 위하여
햇살은
그렇게 따사로운 바람을
흩날리며
꽃잎을 뿌렸다.

태양의 미소 아래
마음을 뒤흔드는
두 심장의 소리

뜨거운 사랑의 노래는
바다의 물결처럼 온화하게
행복의 동화를 그린다.

마음이 뛰는 그 순간

격정적인 미학의 정점에 서서

그 둘은

사랑을 노래한다.

아~ 아름다운 청춘이여

그들의 드라마여~~

명상하는 로봇 아저씨

　가부좌를 틀고 명상하는 행동이 매우 근사하다고 생각했다. 명상하는 로봇은 존재하지도 않았고, 로봇으로써는 하지 않는 일이기도 했다. 로봇이었지만, 인간 같은 행동과 생각을 하는 것에 대한 남의 눈치나 거부감은 없었다. 로봇 아저씨는 생각을 정리하고, 마음을 비우는 명상이 좋았다. 뭔가 모를 뿌듯함마저 느꼈다. 명상을 할 때면 고양이도 두 발을 모으고 로봇 아저씨를 따라 하는 것처럼 가만히 앉아있었다. 사실 인간처럼 마음을 비우기 위한 명상을 한다고 하면, 잠시 대기 모드로 들어가서 메모리를 비우는 것이 물리적으로 맞겠지만, 로봇 아저씨는 그런 명상을 하는 것이 아니었다. 미래를 상상했다. 우주로 나아가는 상상을 했다. 우주복을 입고 별과 별 사이를 누비는 상상을 했다. 그 때쯤이면 시크한 고양이도 하늘나라 어디에선가 자신의 자리를 잡고 있을 거란 생각도 들었다. 모든 임무가 끝나는 어느 지점. 자유로운 로봇이 되었을 때, 로봇 아저씨는 우주에 올라가 누구보다 반짝이는 별이 되어 있을 지도 모른다. 그 우주에서 할머니를 다시 만나 함께 지내는 일. 로봇 아저씨는 명상을 통해 꿈을 꾸고 있었다.

고양이와 로봇 철학자

고양이는 눈을 감고 앉아 있었다.

로봇 아저씨도 그 옆에 앉았다.

할머니가 종종

명상을 즐길 때면

그들도 명상을 따라하곤 했다.

고양이는 생각했다.

"나는 왜 여기 있지?"

로봇 아저씨도 생각했다.

"우리는 어디에서 왔을까? 우리는 무엇일까?"

고양이는 마음을 집중하려고 노력했다.

로봇 아저씨도 고양이의 마음을 읽고
그의 생각과 호흡을 느꼈다.

고양이는 평화로웠고,
로봇은 철학자가 되었다.

"모든 것이 괜찮다."

철학자 로봇은 자신의 존재를 느끼며
모든 것은 아름다웠다고
생각했다.

그들은 서로를 바라보며
씨익
미소를 짓고는
다시 명상을 시작했다.

무소유의 무게

그것을

손에 쥐고

약간의 시간이 지나면

그토록 소유하고 싶었던

꿈과 욕심의 물결은

어느새 잔잔한 호수가 된다.

내 마음에 품은 것 없이

빈 공간의

자유로움과

무소유의 무게를

즐기는

가벼운 인생은

어떠할까?

마음의 평안을 얻는 일은

허공에 피어난 꽃잎처럼

아름다우며

자연스럽게

비움의 공간이

가슴이 물든 순간이었다.

비가 내리다.

아침부터 내리던 비가 저녁까지 이어지고 있었다. 재해로 이어질 것 같은 거센 빗줄기가 쏟아졌다. 고양이도 걱정이 되었는지 탁자 밑에 들어가서 나오질 않았다. 뉴스에서는 산사태와 수해 등에 대해서 안전을 유의하라는 내용들이 나오고 있었다. 로봇 아저씨는 집에 문제가 없는지 주변을 둘러보기로 했다. 비와 함께 천둥까지 치기 시작했다. 먼 하늘에서 섬광이 번쩍이더니 몇 초 후 쿠르릉 하는 소리가 거대하게 들렸다. 할머니가 아끼던 긴 우산을 꺼내 들었다. 현관 밖으로 나오니 우산에 후드득 하고 굵은 빗줄기가 떨어졌다. 마당에 물이 고여있었는데, 하수구에서 물이 회전하며 빠져나가는 모습이 보이지 않았다. 하수구 위에 쌓여 있던 나뭇잎과 오물을 걷어내기 위해 몸을 숙였다. 그때 담 너머에서 소리가 들렸다. 옆집 할머니의 신음소리 같았다. 담장으로 달려가 살펴보니 옆집 할머니가 비에 흠뻑 젖은 채로 쓰러져 있었다. 서둘러 옆집으로 달려갔다. 비를 피해 할머니를 안고 집 안으로 들어갔다. 119에 구조를 요청하고 할머니 곁을 지켰다. 옆집 할머니는 안경 너머로 로봇 아저씨의 수염을 바라보며 그의 손을 꼬옥 잡고 있었다. 그 와중에도 비는 사정없이 쏟아지고 있었다.

멍하고 고요한 밤

도움이 필요한 사람을 돕는 것은
AI 로봇의 기본 이념이었다.

그리운 사람을 그리워하는 것은
로봇 아저씨의 추억
할머니에 대한 애정
그리고,
지난 시간에 대한 향수였다.

할아버지는 할머니를
부탁하며 눈을 감으시고
할머니는 고양이를
부탁하며

손을 잡으셨다.

어두운 하늘에서

비가 쏟아지던 날

아저씨는

생생하게 떠오르는

연인의 추억에

멍하니

앉아있었다.

그 난리를 치고 나서도

고요한 밤이었다.

병원에서

  옆집 할머니는 다리 골절로 병원에 입원 중이었다. 다리에 깁스를 하고 휠체어에 앉은 할머니에게 약간의 산책을 시켜드렸다. 맑은 공기와 바람은 기분을 상쾌하게 만든다. 휠체어에 앉은 할머니의 손에는 꽃잎이 가득 그려진 노트 한 권이 있었다. 로봇 아저씨의 노트였다. 그동안 이것저것 글을 적어 놓았던 노트를 옆집 할머니에게 드린 것이다. 심심할 때 읽으시라고 하니 좋아하셨다. 비 오던 그날에는 그나마 로봇 아저씨가 빨리 발견했기에 다행이었다. 참으로 사람의 일은 알 수가 없다. 아니 로봇의 일도 알 수가 없다. 로봇 아저씨는 마치 자신이 입원한 것 같은 상상을 했다. 옆집 할머니는 로봇 아저씨의 손을 잡으며 다시금 같이 살자는 말을 했다.

관계의 유지

우리는 그렇게 인연의 고리를 달고 살았다.

원인과 이유를 알 수 없는

관계의 유지

자연스럽게 흐르던 물이

절벽을 따라 떨어지며

산산히 흩어지는

폭포가 되어서도

또다시

유유하게 흐르는

강물과 같이

언젠가는

바다로

하늘로

대기로

우주로 나아갈

자연스러운 흐름을

나는

인연이라고 했다.

후회

로봇이었지만,

가끔 내뱉은 말에 대하여 후회할 때가 있다.

통계과 데이터의 분석에서도

당신의 기분과 감정에는

못미칠 때가 있다.

정제되지 않은 감정을 쏟아내곤

주워 담을 수가 없다.

그래 놓고

나는 나야!

다른 사람을 굳이 신경 쓸 것 없다는 식의

자기 위로는 꽤나 혐오스럽다.

논리적이었다는 변명도

통하지 않는다는 사실을

업데이트가 아닌

경험으로 배운다.

차라리

미안하다 사과하는 것이 옳다.

할아버지가 할머니 곁을 떠나기 전 일이었다.

할아버지가 사는 지역을 담당하는 복지 센터가 있었다. 그곳은 지역 주민들의 민원과 복지에 관련한 정부의 업무를 진행하는 곳이었다. 할아버지는 복지 센터에 방문해서 순서를 기다리고 있었다. 얼마 전에 돌봄 로봇에 대한 안내 메일을 받았기 때문이었다. 돌봄 로봇이 보급된 지는 몇 해가 되었는데, 이번에 법안이 통과되면서 돌봄 로봇을 정부에서 지원해 준다는 내용이었다. 노인 가정이 대상이었고, 약간의 본인 부담금을 내면 무상으로 이용하는 것이나 다름이 없었다. 꽤 좋은 조건이었다. TV에서도 각종 가정용 로봇에 대한 광고가 넘쳐 났지만, 비싸서 엄두도 못 내던 차였다. 더구나 할아버지는 얼마 전 병원에서 시한부 판정을 받은 상태였다. 할아버지는 혼자 남을 할머니가 걱정되어서 잠을 이룰 수가 없었다. 그런 와중에 반가운 소식이었고, 그에 대해서 알아보고자 방문을 했던 것이었다.

입구가 크게 열려 있고, 세 면의 벽이 막힌 작은 상담실로 안내가 되었다. 벽 자체에서 하얀 빛이 나고 있어서 꽤 깔끔하다는 느낌이 들었다. 할아버지를 마주한 담당자는 동그란 눈에 제법 사람을 닮은 로봇이었다. 할아버지는 약간의 쿠션감이 있는 기다란 의자에 앉아서 로봇 담당자의 안내를 들었다. 그 이야기를 듣고 있던 할아버지는 몇 가지 사항을 수첩에 적고 있었다. 최근 들어 기억력이 급감해서 이렇게 적어 놓아야 안심이 되었다. 담당자는 내용을 메일로 보내줄 테니 굳이 안 적으셔도 된다며 웃었다, 하지만, 그 내용조차도 잊어버릴 것 같아서 수첩에 메일이란 글자를 또박또박 적고 있었다. 다행히 신청하는 조건에는 별다른 문제가 없어서 바로 신청 서류까지 작성하고 집으로 돌아왔다. 그리고, 할머니에게도 그 이야기를 상세히 이야기해주었다. 마치 또 한 사람의 가족이 생기는 느낌이었던 것처럼 할머니는 다소 설레는 모습을 보였다. 꽤 좋아하는 모습이 귀엽게 보였다.

그렇게 돌봄 로봇 지원 신청을 하고 한 달도 안 되어서 로봇을 받아볼 수 있었다. 로봇을 배송해 준 기사님이 몇 가지 설정을 해주고 돌아갔다. 안내 책자도 주었는데 내용을 이해하는 것이 그렇게 쉽지는 않았다. 할머니와 할아버지의 얼굴과 목소리 등을 등록하고 가족으로 인식하게 하는 과정이 있었다. 로봇에게 말을 걸면 대답도 잘하고, 청소나 빨래나 이것저것 집안일들을 시키면 무리 없이 잘 해주었다. 기사님이 그랬는데, 시간이 갈수록 더 똑똑해질 것이라고 했다. 할아버지는 로봇이 더 빨리 똑똑해졌으면 하는 생각이 들었다. 시간이 얼마 남지 않아서였다. 어느 날 할아버지는 로봇의 손을 붙잡고 방으로 들어갔다. 로봇을 앞에 앉히고, 이것저것 당부의 이야기들을 하고 있었다. 할머니가 좋아하는 것들과 할머니에 대한 추억들을 설명해 주었다. 하지만, 로봇이 얼마나 잘 알아듣고 그대로 해 줄지는 알 수가 없었다. 한계가 있었던 것 같았다.

병원에 다녀왔다. 약을 한 봉지 타 왔지만, 약은 식탁 위에 올려놓고 들어오자마자 컴퓨터 앞에 앉았다. 돌봄 로봇 관련 동호회를 찾아보았더니 꽤 여러 곳이 있었다. 그중에 가장 회원이 많은 곳에 가입을 했다. 의사 선생님을 만나서 병에 대해서 이것저것 검사도 하고 상담도 받았는데, 로봇에 대한 이야기도 나누었다가 선생님이 알려주신 것이었다. 동호회에는 역시나 몰랐던 많은 정보들이 많았다. 며칠을 찾아보고 읽어보고 하던 중에 루팅에 대한 글을 보게 되었다. 로봇의 기본적인 설정과 기능들 외에 사용자가 추가로 권한을 획득해서 기능을 추가하는 것에 대한 내용이었다. 여러 번 읽어봐도 쉽지 않은 것 같아서 글을 작성한 사람에게 메일을 보냈다. 그리고 사정 설명을 했다. 생각보다 젊은 친구로부터 선뜻 도와주겠다는 답장을 받았다. 그때 창밖에서는 눈이 내리고 있었다.

며칠 후에도 집 밖에는 소복하게 눈이 쌓여 있었다. 긴 날 동안 눈이 그칠 줄을 모르고 내렸다. 띵동 하는 소리가 들렸고, 문을 열어주었을 때 배낭을 메고 하얀 눈을 맞으며 서

있는 젊은 청년이 보였다. 빨갛게 얼어있는 볼을 보며 반갑고 미안한 생각이 들었다. 청년의 두 손을 잡고 집 안으로 안내를 했다. 청년이 자리에 앉아 로봇이 김이 모락모락 나는 따뜻한 차를 건네었다. 청년은 로봇을 바라보며 반갑게 인사를 했다. '오~~ 신형 로봇이군요. 잘 된 것 같아요.'

할머니도 청년을 반갑게 맞아 주었다.

청년은 할아버지와 여러 시간 동안 이야기를 나누었다. 그리고, 할아버지는 청년이 제안한 방법대로 진행하기로 했다. 로봇을 설정하는 것에는 여러 가지 방법이 있는데, 이것은 로봇의 AI에 할아버지의 의식을 주입하는 방법이었다. 할아버지의 뇌와 기억을 스캔해서 복제하고, 로봇에 등록을 시키는 것이다. 로봇에 할아버지의 뇌를 복제해서 이식하는 것과 같다고 설명할 수 있었다. 그것은 또 다른 할아버지의 자아를 만드는 것이었다. 몇 가지 주의 사항도 알려주었다. OS 업데이트를 하면 안되는 것과 같은 것이었다. 업데이트를 하면 다시 로봇 자체의 AI로 초기화가 되기 때문에 할아버지의 정보는 사라지게 된다.

할아버지는 이 정도만 해도 정말 다행이라는 생각이 들었다. 젊은 친구가 돌아가고 난 후에 할아버지는 로봇을 붙잡고 할머니에 대해서 이것저것 물어보았다. 로봇의 대답은 꽤 만족스러웠다. 할아버지가 생각하는 것과 거의 동일한 대답을 해주었다. 로봇은 할아버지 자신이나 마찬가지였다. 할아버지는 그제서야 안심이 되었다. 어차피 인생은 언젠가 마무리 지어야 하는 것이었지만, 아쉽고 미안하고 안타까운 부분이 있었기 때문이었다. 그리고 얼마 지나지 않아 할아버지는 할머니 곁을 떠났다.

당신을 기억해

너의 목소리

너의 향기

너의 눈빛

손을 꼬옥 잡고

걸어가는

그 길 위에서도

언제까지나

함께 하고 싶어서

너의 목소리

너의 향기

너의 눈빛을

내 가슴속에 저장해.

달 밝은 밤에

로봇 아저씨는 고양이와 함께 정원에 나갔다. 고개를 들어 하늘을 올려다본다. 목에서 삐그덕 소리가 났다. 하늘 멀리에서 빛나는 별들이 보였다. 반짝임에도 깊이가 다르게 빛나고 있었다. 간만이었다. 별들과 소통하기 위해서는 이렇게 맑은 날이어야 했다. 어쩌다 이런 기특한 생각을 했는지 모른다. 로봇 아저씨는 스스로를 칭찬하며, 한쪽 어깨를 툭툭 쳤다. "이런 생각을 하다니 대단한데?" 라고 중얼거렸다. 기특하다고 머리를 쓰다듬어 줄 할머니는 계시지 않았지만, 할머니가 하늘에서 로봇 아저씨를 보며 웃고 있을 것 같았다. 길쭉한 망원경 모양의 레이저 전파 키트를 삼각대 위에 설치했다. 렌즈가 하늘을 향하도록 방향도 맞추었다. 생각보다 설치하는 방법은 쉬웠다. 설명서에 나온 기준에 맞추어서 그동안 써왔던 글과 할머니의 사진, 그리고 할아버지의 기억을 조합하여 하나의 데이터로 만들었다. 이 데이터를 구성하는 것에 꽤 많은 시간이 걸렸다. 그리고, 그것을 전파 키트에 등록하는 것까지 마쳤다. 이제 남은 일은 우주에 전파로 쏘아 보내는 것이었다. 이것은 레이저 전파 키트라고 해서 원하는 정보를 우주로 쏘아보내는 기기였다. 많은 사람들이 자신의 소중한 기억이나, 사연, 또는 소망을 담아서 우주에 올려 보내곤 했다. 마치 유행과 같았다. 로봇 아저씨는 이 기기를 인터넷에서 광고를 보자마자 구입하였다. 어린이용이라고 써 있는 것이 좀 꺼림칙하기는 했지만, 그래도 작동하는 것에는 문제가 없지 않을까 싶었다.

"할머니에 대한 제 기억을 우주로 보내드릴게요."

할머니가 평소에 그렇게 바라보고, 그리워하던 우주였다. 할머니가 그곳에 계시지 않을까? 자신이 그곳에 가는 것 같아서, 할머니를 만나러 가는 것 같아서, 로봇 아저씨는 가슴속 깊이 숨겨두었던 소원을 이루는 듯한 감정을 느꼈다.

추가로 구입한 고농축 배터리를 연결하고 전원을 켰다. 고농축 배터리는 전파를 좀 더 멀리 보낼 수 있는 옵션이었다. 그리고 고양이를 한 번 바라보고 씨익 웃으며 발사 버튼을 누른다. 거창한 카운트다운 같은 것은 없었다. 렌즈에서 빛이 쏟아져 나오며 하늘로 쭉 뻗어나가는 것이 보였다. 별과 별 사이의 높고 높은 우주를 향해 빛은 계속 나아가고 있었다.

DMD-1009 행성에서 생긴 일

DMD-1009

우리은하로부터 수백 광년 떨어진 곳에 방사형으로 펼쳐진 푸른 빛의 은하가 있었다. 그 중심에 푸르른 빛이 이글거리는 거대한 태양이 있는 은하였다. 그 중에 태양을 따라 공

전하는 다섯 번째 행성을 DMD-1009 행성이라고 불렀다. 사실 이 행성의 이름은 존재하지 않는다. 그저 작자가 구분을 위해 이렇게 명명했을 뿐이다. 그곳에 인류가 살고 있었다. 지구인과는 한 번도 조우하지 않았던 외계 인류였다. 그러니까 이 글은 DMD-1009 라는 외계 행성에 존재하는 외계 인류에 대한 이야기이다. 지구의 이야기라고 생각하면 안 될 것 같다. 하지만, 살아가는 모습이 비슷해서 다소 착각할 여지는 있다.

한때 지구에서 너도나도 우주로 전파를 쏘아 보냈던 시기가 있었다. 기관뿐만 아니라, 민간, 심지어 개인들도 우주로 전파를 쏘아 보내는 것이 마치 유행과 같이 벌어졌었다. 아무래도 TV 예능과 같은 미디어의 역할이 컸다. 그렇게 지구인들은 자신을 표현하고 추억하는 일에는 언제나 진심이었다. 하지만 그 유행은 과학자들의 우려로 인하여 어느 순간 멈추어졌다. 그것은 우주의 어딘가에 있을지 모르는 고도로 발달한 문명의 종족에게 우리 여기 있어요라고 하는 일종의 접촉 신호일 수도 있었기 때문이었다. 지구의 평화와 안

125

정을 위하여 조용히 지내는 것이 좋을 것이란 판단에 모두가 동의했던 것 같다. 한편으로는 유행이란 것이 시간이 지나면 시들기 마련이기도 했다.

하지만, 이미 쏘아 보낸 신호들은 우주의 어디론 가를 향해 나아갔다. 대부분 전파는 훼손되고 왜곡되거나 사라져 버리지만, 그렇지 않은 운이 좋은 전파도 있었다. 운이 좋았던 전파의 한 부류는 수많은 은하를 피해 DMD-1009 행성의 근처까지 다다르게 된다. 아마도 천 년 이상의 긴 시간이 흐른 뒤였을 것 같다. 그리고, DMD-1009 행성의 한 우주 연구소에서 그 전파를 발견하게 된다. DMD-1009 행성에 거주하는 어느 소박한 단층 주택의 거실에서 TV의 화면으로부터 외계 전파의 발견에 대한 이야기가 계속해서 흘러나오고 있었다.

전파를 발견한 연구원의 인터뷰도 나왔다. 전파가 어디에서 발생한 것 인지와 전파에 담긴 의미에 대해서는 정확히 파악하지 못했으나, 인위적으로 만들어진 신호라는 것은 분명히 알 수 있었다는 내용이었다. 뉴스가 끝나고 난 다음에 이에 대하여 토론을 진행하는 프로가 이어서 방영되었다. 커다란 탁자를 중심으로 여러 명의 패널이 앉아 있었다. 각자가 우주 분야의 전문가들로 보였다.

참석한 여러 패널은 그 신호가 어디에서 발생한 것인지에 대해서 다양한 의견을 내놓았다. 그 방향과 위치를 파악하는 것은 시간문제로 보였다. 하지만 그 의미를 해석하는 일에 대해서는 누구도 정답을 내기 어려웠다. 그것에 대하여 어떠한 대응을 해야 할 지는 누구도 알 수 없었다. 전파에 대하여 응답해야 한다는 의견은 소수였다. 다수는 외계의 존재에게 자신들의 위치를 노출하거나 알리는 것이 매우 위험한 일이 될 수 있다고 경고했다. 이러한 방송은 어떤 심각한 토론이라기보다는 재미있는 가십이자 예능 프로그램과 같았다. 아직 구체적인 분석 결과가 없는 상태에서 수많은 억측과 상상을 이야기하는 것만으로도 시청률을 확보하는 것에는 문제가 없었다. 전 국민이 이 이슈에 빠져들어 가는 것처럼 보였다.

TV를 보던 K는 채널을 변경하였다. 잔잔하고 은은한 음악이 흘러나오는 음악 채널이었다. 화면에 누군가 앉아서 모닥불을 피우는 모습이 보였다. 자작자작하고 모닥불 타는 소리가 들려왔다. 은은한 조명등까지 켜 놓아서, 실내는 아늑

하고 안정감 있는 분위기가 되었다. 곧 돌아올 S를 위한 K의 배려였다. 이른 새벽 시간, K는 잠에서 깨어 간단히 세수만 하고 집을 나섰다. 일터에서 돌아오는 S를 마중 나가는 중이었다. 집 앞을 나서며 맞은 편에 있는 오래된 은행나무에게 인사를 했다.

"오늘도 행복하길 바라요."

K의 집 앞에는 천년을 넘게 산 커다란 은행나무가 있었다. 은행나무는 K의 어릴 적 모습과 그의 어머니, 그의 어머니의 어머니 모두를 기억하고 있었다. 지구의 시간이 그렇게 계절을 따라 흘렀던 것처럼 이곳에서의 시간도 은행나무를 더욱 커다랗고 풍성하게 만들어가고 있었다.

마중

알람 소리가 울리기 전부터
잠에서 깨어 있었다.

고된 일상을 끝내고
새벽에 귀가하는
연인을
마중 나간다.

첫 차를 기다리는 사람들

지하철 역 그 어딘가에서
슬리퍼 신은 발을
동동거리며

졸렸던 눈을 부빈다.

새벽의 시간은

길고 고요하며

차분히 행복했다.

당신처럼

별이 빛나는 아침

K의 그녀

S는 거대한 쇼핑몰을 운영하는 물류 회사에서 일하고 있었다. 주문을 받으면 다음 날 새벽까지 배송하는 시스템이었기 때문에 회사는 24시간 쉬지 않고 가동이 되고 있었다. 직원들은 점심시간을 제외하면 쉬는 시간도 없었다. 법적으로 한 시간마다 10분씩 쉬는 시간을 가져야 한다고 규정되어 있었지만, 지켜지지 않았다. 중간에 화장실 갈 때도 보고해야 했다. 쉬지 않고 일하는 곳에서 버티기란 쉽지 않았다. 해마다 사망 사고가 있었지만, 언론에도 보도가 되지 않았고, 회사는 이를 숨기기에 급급했으며, 사회는 무관심했다. 혹여 불만을 제기하거나 이슈화하는 이는 블랙 리스트에 이름이 올라가서 재취업을 제한받기도 했다. 작업장에는 큰 소리를 지르며 채근하고 닦달하는 중간 관리자들도 있었다. 어느 곳이나 그런 존재들은 있었다. 그들도 똑같이 고용되어

함께 일하는 작업자 임에도 완장이란 것은 그런 파워를 지닌다. 채찍을 든 자는 휘두르기 마련이다. 자신의 권위가 무너지지 않아야 한다고 생각하는지도 모른다. 그것이 시스템의 문제인지, 개인의 성품 문제인지는 차치하고라도, 쉬는 시간 없이 8시간씩 일해야 하는 노동의 시간은 힘들다. 그렇다고 그곳이 나쁜 점만 있는 것은 아니었을 것이다.

몇 가지 장점들도 있다. 결국 돈을 주니까. 돈이 필요한 사람들은 점점 익숙해진다. 살아남기 위한 인내와 외면이었다. 부조리한 사회와 관계에 익숙해진다는 것은 참 무섭다. 익숙해지는 순간 누구도 선뜻 나서서 고치려고 하지 않기 때문이다. S는 야간에 8시간씩 일을 하는 근무조였는데, 집에 오면 씻자마자 바로 쓰러져 잠이 들었다. S는 조만간 그만둔다는 말을 수시로 하면서도 계속 다니고 있었다.

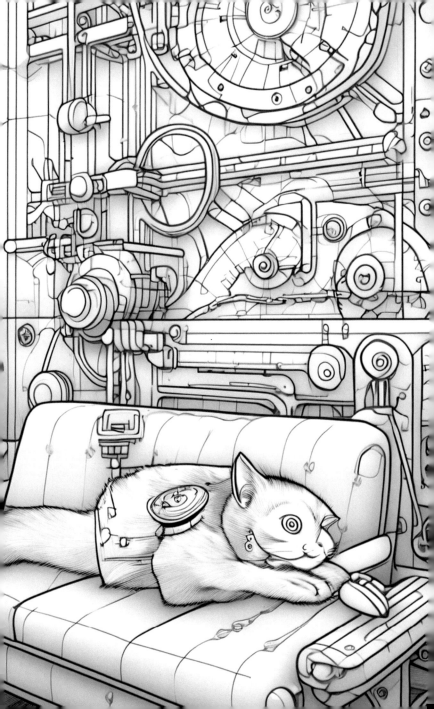

그대는

아무튼 나에겐

그대가 이쁘다.

이렇게 습기가 가득한 날에도

그녀의 팔

일을 마치고 돌아온

그녀의 얇은 팔목과

가느다란 팔 언저리에는

굵은 힘줄이 솟아 있었다.

근육이 쑤시고

관절이 아프고

마음이 고단하다.

노동의 흔적과

삶의 고단함이었다.

4시가 되면

4시가 되면

그대가 갈 곳을 안다.

지도를 열어

어디쯤 일지

잠시 생각하다가

다시 위치를 보다.

하루는 저물고

별들이 준비를 한다.

나

그들과 함께

당신이 도착할 곳에

행운의 꽃들을 뿌린다.

마음 가득 희망을 담아

우리 앞에

좋은 일만 가득하길 바라며,

모든 순간이

평화롭고 행복하게,

모든 일이 잘 되기를.

나는 그대의 미래를 꿈꾼다.

연구소

K는 이날도 침대에 누워 이불을 덮고 있는 S의 머리를 쓰다 듬었다. 새벽에 일을 마치고 들어왔기 때문에 아직 더 자야 하는 상황이었다. 새근새근 간간히 코를 골며 자고 있는 S의 이마에 살짝 입을 맞추었다. 잠시 코 골던 것을 멈춘다. 코를 골지 않도록 고개를 살짝 돌려주었다. K는 S가 깰까 싶어서 살금살금 방을 나왔다. 출근을 해야 했다. K는 우주 연구소에서 일하고 있었다. 우주 연구소라고 해서 그리 거창한 곳은 아니었다. 10여 명 정도가 근무하는 규모가 작은 곳이었다. 정부의 지원을 받아서 운영이 되는 중이었는데, 이러한 작은 연구소가 꽤 많이 분포해 있었다. 짐작은 했겠지만, 이번에 외계의 전파를 발견한 사람이 바로 K였다. 덕분에 연구소는 정부로부터 좋은 점수를 받을 수 있었다. 연구 결과에 따라 연구소의 등급이 올라갈 수 있는 기회도

생겼다. 신호를 발견하기 전까지만 하더라도 아주 절망적인 상태였다. 진행하던 연구를 접고 다른 프로젝트를 찾아봐야 하나 하고, 고민을 하던 상황이었기 때문이었다. 최근에 새로운 정부가 들어서면서 R&D 예산이 20퍼센트나 삭감이 되었다. 말이 20퍼센트이지 말단의 작은 연구소에는 치명적인 수치였다. 당장 예산이 끊기게 될 처지였다. 그러던 차에 이런 성과가 있어서 그나마 올해 지원을 절반 정도는 유지할 수 있었다. 잘하면 민간 투자도 받을 수 있을까 싶었다.

출근 하자마자 차를 한 잔 탔다. 뜨거운 물로 인해 손잡이가 달린 하얀 컵에서 모락모락 수증기가 올라왔다. 수증기 속으로 얼굴을 들이민다. 따뜻하고 촉촉한 느낌이 전해졌다. 숨을 멈추고 마치 커다란 연못에 깊숙이 잠수한 듯한 기분을 느낀다. 중력의 무게에서 잠시 벗어난 자신을 상상한다. 그 순간 K는 영원의 공간을 떠도는 우주의 한 행성과 같은 존재가 됨을 느낀다. 둥둥 떠다니는 자유로운 영혼은 그렇게 따뜻하고 촉촉한 공간에서 마음을 위로하며 하루를 맞이한다. 누군가 K를 부르기 전까지 잠시 동안의 여유를 가져보았다.

지난 주말에 추가로 수신한 전파가 없는지 데이터를 살펴보았다. 초기에 수신한 전파와 일부 비슷한 패턴을 보이지만 그 수와 양에 있어서는 규모가 적은 데이터가 있었다. 분석할 필요가 있을 것 같아서 따로 분류해 두었다. 아침부터 우주 담당 공무원인 H로부터 전화가 왔었다. 외계 주파수의 분석에 대한 문의였다. 차주의 보고 문서에 해당 내용을 추가해야 해서 확인 차 걸려 온 연락이었다. 사실 주파수 분석 자체는 언제 끝난다고 시간을 보장할 수가 없었다. AI 컴퓨터에서 프로그램을 이용해 데이터 지도를 그려가고 있는 중이었다. 사실 진행 상황을 설명하기에는 자료가 미흡하다는 것을 H 역시 알고 있었다. 그는 그냥 보고할 몇 가지의 문장이 필요한 것이었다. 그것을 보고 받는 높은 위치의 사람도 몇 가지의 문장으로 나열된 형식이 필요했을 것이었다.

147

그것이 그들이 일을 잘하고 있다는 하나의 기록이 되기도 했다. 몇 가지의 문장과 형식과 보고가 이 사회를 이끌어 가는 것 같았다. K가 전달한 내용은 몇 가지 수식어가 덧붙여져서 다음 날 저녁 뉴스를 통해 방송되었다.

연구소 창밖에 비가 내리고 있었다. 빗물이 후두둑 창문을 타고 떨어지는 소리가 들렸다. 추적추적 내리는 봄비였을 것 같다. 봄이 되면 S와 함께 꽃구경을 가기로 했다. 비로 인해 꽃이 모두 떨어지지 않을까 하는 걱정도 들었다. K는 달력을 살펴보았다. 언제쯤 쉴 수 있을까?

세차했는데

'세차해서 깨끗한데 비 내려'

당신 손을 잡고
다시 세차하러 갈거야.
또
그렇게 행복하고 싶다.

하루 하루를 행복이란 단어에 담아.

세상 모든 일이
당신과 함께라면
동화가 된다.

피크닉

공원에 나와 텐트를 치고 매트와 돗자리를 깔았다. 모처럼 쉬는 날이었다. 피크닉 가방에 음료와 먹을 것들로 가득 채웠다. 햇살이 부드럽게 공원을 비추고, 새들의 지저귐이 상쾌한 봄날이었다. 나무에 달라붙은 곤충들의 소리도 들리는 듯했다. 생명의 소리였다. 꽃들도 저마다의 이야기를 향기로 내뿜는 것 같았다. 주위를 둘러보니 다른 연인들도 푸른 잔디밭 위에 돗자리를 깔고 즐거운 시간들을 보내고 있었다. 아름다운 초원의 수채화를 그려 놓은 것 같았다. K의 손은 S의 손위에 포개어져 있었다. 미소를 지으며 서로의 눈 속으로 빠져들었다.

"정말 좋은 날이야, 너랑 함께 있어서 행복해."

그녀의 목소리는 봄바람과 같이 부드러웠다. 그의 눈에는 사랑에 가득 찬 미소가 반짝이고 있었다.

"나도 마찬가지야. 이런 순간이 영원히 계속되었으면 좋겠어."

그녀는 고개를 끄덕이며 그의 얼굴을 어루만졌다. 그는 그녀의 손을 부드럽게 잡고 있었다.

"이 순간이 참 소중한 것 같아. 계속 이랬으면 좋겠어."

그들은 함께 담소를 나누고, 간식을 함께 먹었다. 피크닉 가방 안에는 처갓집 양념통닭 한 마리와 캔맥주 몇 개, 장수 생막걸리 한 병과 집에서 위생 봉투에 담아온 과일이 있었다. 그리고 달콤한 디저트가 있었다. 서로의 이야기를 들으며, 여러 공간에서의 웃음소리가 공원에 울렸다.

시간이 흘러도 변하지 않을 것 같은 그들의 사랑은 봄날의 공원 한 가운데서도 찬란했다. 함께한 모든 순간이 영원히 기억될 것 같았다.

여기까지는 멀리서 바라본 그 둘의 모습이었다. 사실 둘은 카드 게임을 하고 있었다. 치킨도 먹고, 막걸리도 한 잔씩 마시면서 게임을 즐기고 있었다. K가 카드를 나누어 주려던 순간에 S는 K의 눈을 보았다. 서로의 눈을 지긋이 바라보았을 때 S가 말했다. "퉁~~"

메시지의 발견

DMD-1009 행성 항공 우주국의 고층에 있는 넓은 회의실이었

다. 커다란 테이블을 중심으로 다소 무거운 분위기의 회의가

진행되고 있었다. 몇 달 전 수신된 외계 전파 때문이었다. 방송에 대대적으로 알려진 것 외에도 미 발표된 전파가 추가로 있었다. 그중 한 전파의 내용이 해석되었는데, 그것 때문에 각 부처의 대표들이 비상 소집된 것이었다. 다들 무슨 일이냐는 어리둥절한 표정으로 참석하였고, 그 내용에 모두가 놀란 반응을 보일 수밖에 없었다. 전파의 앞부분에서는 문자 체계에 대한 기본적인 설명 같은 것이 있었고, 그를 토대로 해석한 문장은 그다지 길지 않았다. 언어에 특화된 AI 컴퓨터의 분석 결과였다. 내용은 다음과 같았다.

"아기 공룡 둘리가 그대들을 정복하러 떠날 것이다.
스타필드 코엑스몰 우주 페스티벌"

해석을 했다고 해도 이해를 못 하는 문장들이 많았다. 모임의 대표가 되는 이가 이 문장을 신생 그룹이자 공룡들로 구성된 우주의 용병 둘리 조직이 DMD-1009 행성을 정복하기 위해 출발했다는 내용으로 추정된다고 발표하였다. 공룡이라는 단어나, 둘리라는 것이 무엇을 의미하는지는 알 수 없었지만, 이

157

것은 일종의 선전포고가 아니었을까? 그러면서도 그것을 어디에서 보낸 것인지, 그 존재가 누군지 알 수 없었기에 더욱 불안할 수밖에 없었다. 이것을 신뢰할 수 있겠느냐는 일부 의견도 있었다. 추가적인 데이터의 수집이 필요하다고 여겼다. 그들은 같은 시기에 수신된 전파들에도 일련의 연관성이 있을 것이라고 보았다. 이 내용이 보도되면 대혼란이 일어날 수도 있다는 판단하에 일단 대외비로 처리하기로 협의했다. 쉬는 시간에 일부 대표는 회의실을 나와 복도의 커다란 통유리 창 앞에 서서 누군가와 통화하고 있었다. 흩날리던 꽃잎이 유리창에 날아와 붙는다. 밖에는 풍성하게 꽃이 핀 나무들이 보였다. 나무들 사이로 세상 아무 일 없는 듯이 평화롭고 잔잔한 바람이 불고 있었다.

"호아~ 호아~"

긴 밤을 지나면

졸리다.

아침부터 졸리다.

그렇게 졸릴 수가 없었다.

밤새 당신을 바라보는 일

당신이 쉬는 날에는

늘

벌어지는 일

비상 사태

출근하자마자 어수선한 분위기였다. K는 항공우주국의 H로부터 전파의 데이터 원본과 현재까지 해석된 결과물 모두 취합해서 정부로 보내라는 메일을 받았다. 정부에서 자체 조사를 하겠다는 것 같았다. 아무래도 그곳에 있는 장비가 더 좋으니 더 섬세한 분석이 가능할지도 모른다는 생각도 들었지만, 이는 결코 상식적이지 않은 정부의 명령이었다. 연구소에 있던 자료는 모두 폐기하고 그에 대한 보상을 해주겠다는 내용도 있었다. 이를 거부하면 연구소에 대한 지원이 끊어질 수 있다는 H의 조언까지 K는 지금 복잡한 심경이었다. K의 연구소 외에도 비슷한 전파를 수신했던 모든 연구소가 비슷한 명령을 받은 것으로 보였다. 무엇인가 일어나고 있다는 느낌이 들었다.

K는 수신했던 전파의 원본 데이터와 지금까지 해석한 자료를 급하게 메모리에 복사했다. 그때 사무실의 문이 열리며 H와 우주국의 직원들이 들이닥쳤다. K는 순간 몸을 돌려 메모리를 입에 삼켰다. 긴박한 상황이었다. H와 직원들이 연구소를 압수 수색하고 자료를 모두 가져갈지도 모른다고 생각했다. 하지만, H가 K에게 다가와 말을 건넸다.

"같이 가야 할 것 같습니다. 짐을 좀 챙기시죠~"

사무실을 뒤진다거나, 압수 수색 같은 건 하지 않았다. 예상 밖이었다. 애초에 그런 강압적인 분위기가 아니었다.

"자료를 모두 달라고 하지 않았나요?"

"아~ 그건 이미 연구소 소장님으로부터 전달받았습니다. 저희와 함께 가시기만 하면 됩니다. 이제 우주국에서 연구를 진행하셔야 합니다. 상황이 그렇게 되었습니다. 소장님께는 미리 양해를 구했습니다."

"미리 말씀 좀 해주시지 그러셨어요. 그럼 같이 온 저 직원 분들은??"

"아~ 네 K님 짐이 많을 것 같아서 도와주려고 같이 왔습니다."

K는 그제서야 약간의 졸음이 밀려왔다. 순간적인 긴장이 풀려서였을까? 정신이 하나도 없었다. 정신이 없는데 졸음이 밀려오는 상황이 이해되지 않을 수도 있지만 정말 그랬다.

얼떨결에 항공우주국까지 도착한 K는 "삐용삐용"하고 울리는 보안 검색대에 서서 난감한 표정을 지었다. 우주국의 출입문에 설치된 보안 검색대의 스크린에서 K의 몸속에 있는 메모리를 표시하고 있었다. 아마도 위장 근처로 보였다.

식당에서

추가로 분석한 데이터에 따르면 전파는 적어도 수백 광년 떨어진 곳에서 온 것으로 추측이 되었다. 만약 그들이 우리 별을 정복하기 위해서 빛의 속도로 이동을 한다고 해도 이번 세기에는 도착할 수가 없는 거리로 계산이 되었다. 그렇다고 손을 놓고 있을 수는 없지만, 어느 정도 준비할 시간은 있지 않을까하는 생각이 들었다. K는 우주국의 식당에서 식사를 하고 있는 중이었다. 식판에 담긴 찬이 제법 먹음직했다. 푸짐하게 담긴 고기볶음과 샐러드를 보니 S 생각이 났다. S는 이것저것 야채들을 섞어서 샐러드로 먹는 것을 좋아했다. 요거트와 식초 등을 섞은 소스를 곁들여서 K에게도 만들어 주곤 했다. 맛은 우주국의 것이 더 맛있었다. 아무래도 전문가들이 해준 것이니까 충분히 그럴 수 있었다. 이런 이야기를 S

에게는 하지 않기로 했다.

식당에 있는 TV 스크린을 바라보았다. 대외비라고 하던 정보가 어떻게 새어나갔는지 모르겠지만, 사람들이 슈퍼에서 사재기를 하고 있다는 뉴스가 나오고 있었다. 폭동까지 일어나고 하는 것은 아니었지만, 일종의 불안감의 표현이었다. 적어도 당신들이 살아 있는 동안에 침략당하는 일은 없을 거라는 생각을 했다. 불안감은 이성을 마비시킨다. 그 불안감으로 인해 다치지 않아도 되는 사람들이 피해를 볼까 싶어 걱정이 되었다.

식사를 마치고 나왔는데, S에게서 전화가 왔다. 어찌된 일인지에 대한 질문과 K의 안부에 대한 궁금함이었다. 갑자기 우주국으로 오는 바람에 정신도 없어 연락을 못했다. 그렇지 않아도 식사 후에 전화를 걸 참이었다. 그런 이야기를 해 보았지만 들리지 않는 듯했다. S가 일하는 곳은 일이 더 많아져서 잔업까지 요청하고 있는 상황이라고 했다. 잔업의 여부는 근로자의 자율이었지만, 출퇴근 차량이 잔업 시간에 맞춰서 늦게 출발하기 때문에 별다른 교통편이 없는 사람들은 어쩔 수 없이 잔업을 해야만 했다. 오히려 이런 상황에서 기업은 부를 축적한다. K는 S에게 아무 일도 일어나지 않을 테니 건강 먼저 챙기라는 말을 전했다. S는 K에게 연락을 빨리하지 않은 것에 대한 핀잔을 주었다. 서운하다는 표현이었다. 남자들은 그 서운하다는 표현을 듣기까지 늘 한 박자 느리다.

편지

미안해.

한동안 집에 못 들어갈 것 같아.

국가적인 긴급한 상황이라

모든 걸 이야기할 수는 없지만

나는 잘 있으니까

걱정하지 마.

한동안

빨래는 자기가 좀 하고

재활용도 자기가 버리고

청소도 자기가 해야 할 것 같아.

건강 잘 챙기고 있어요.

나도

당신이 보고 싶다.

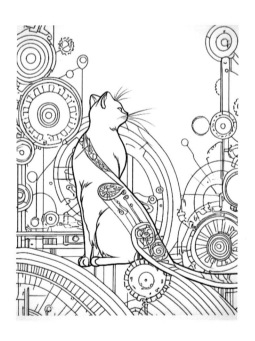

관측의 시간

각계각층의 전문가들이 모였다. 전문가들은 전파의 분석을 진행하는 팀과, 행성의 방위를 위해 대책을 논의하는 팀으로 나누어졌다. 한 달여가 지났지만, 아직 별다른 진전은 없었다. 처음엔 모두가 합숙을 했지만, 출퇴근도 가능한 체제로 바뀌었다. 대중의 관심과 주목도 점차 줄어들었다. 그 와중에 K는 점차 살이 찌고 있었다. 식당 밥이 맛있었다. S에게 내색은 하지 않았지만, 이 체제가 계속되었으면 하는 생각도 들었다. 전문가들이 한데 모이다 보니 그들에게서 배울 점도 많았다. 인류의 생존을 걱정해야 할 시기에 K는 개인적으로 만족할 만한 시간을 보내고 있는 것처럼 보였다. K는 복도에 서서 벽에 붙은 내일 식단표를 보고 있었다.

"제육", "튀김", "소고기무국"

함께 연구하는 한 연구원이 다가와 물었다. "집도 가까우신 것 같은데! 출퇴근 안 하세요? 정말 열심히 하시는 것 같습니다."

거대 우주선의 침략

거대한 우주선 함대가 하늘을 뒤덮고 있었다. 며칠째
정부가 어떠한 메시지를 보내도 반응이 없었다. 푸르른 빛이
사라진 행성의 밤이었다. 어둠을 가르고 우주선 함대 가

서서히 움직이며 내려와 하늘에 거대한 그림자가 그려졌다. 그림자 사이에서 굵은 섬광이 번쩍하더니, 도시 여기저기에 레이저를 쏘기 시작했다. 레이저에 맞은 건물들이 스르르 무너져 내린다. 무시무시한 광선 무기를 발사하고 있었다. 도시는 매캐한 먼지로 둘러싸여 어두운 그림자와 사람들의 비명으로 아수라장이 되었다. 하늘에서 내려온 적색 불꽃은 땅 위에 큰 구덩이를 만들고 그 넓은 지역을 활활 태우고 있었다. K는 잃어버린 S를 찾으러 뛰어다니느라 정신이 없었다. 그러다 발을 헛디뎌 갈라진 도로의 깊고 깊은 낭떠러지와 같은 곳으로 떨어지고 말았다. 이렇게 끝인 것일까? 떨어지는 K의 머릿속에는 외계의 우주선보다도 잃어버린 S에 대한 그리움이 사무치고 있었다. 그때 저 먼 곳에서 S가 부르는 소리가 들렸다. 어떠한 강력한 힘에 의해 몸이 흔들렸다.

꿈이었다. 깨어난 K의 몸을 동료 연구원이 흔들고 있었다.

"코를 너무 심하게 골아서~요. 음!! 숨을 멈추기도 하셨어요. 수면 무호흡증이 있으신 거 같아요."

힘들어

새벽에 퇴근한 S는 안 좋은 표정을 하고 있었다. "왜?? 무슨 일이 있었어?" 중간 관리자 중에 유난히 소리를 지르고 닦달하는 사람이 있다고 했다. 하지만, 그렇게 닦달하지 않아도 그곳에서는 모두가 열심히 일한다고 한다. 마치 사람이 기계가 된 것처럼 같은 일을 6시간 넘게 반복하는 행동을 그렇게 열심히 할 수가 없다고 한다. 지구에서 1936년에 제작된 찰리 채플린의 모던타임즈라는 영화에서는 공장에서 일하는 근로자가 나사 돌리는 단순한 작업을 기계처럼 반복한다. 마치 사람이 부품이 된 것 같은 상황을 보여주는데, 그것은 100년이 지난 지구에서도, 수백 광년 떨어진 외계에서도 반복이 되는 상황 같았다. 유난히 소리를 지르고 닦달하는 관리자가 S에게 와서 소리를 쳤다고 한다. 당신이 여기 라인들 중에 꼴찌야. 더 빨리 해주었으면 좋겠어라고 말이다. 꼴찌란 개념은 상대적인 것이라서 100퍼센트 누군가는 꼴찌를 한다. 그중에 누군가는 가장 빠를 것이고, 그중에 누군가는 가장 느릴 수 있다. 모두가 달리는 와중에 꼴찌를 하더라도 그들은 모두가 달리고 있었다는 사실에는 변함이 없다. S는 그 소리 때문에 화장실도 못 가고 더 열심히 작업했다고 했다.

K는 S가 들고 있던 가방을 한 손에 받아 든 채, S의 가느다란 어깨를 감싸안고 등을 토닥여 주었다. S는 힘을 빼고 잠시 K에게 기대어 있었다. 씰룩거리는 입술이 느껴지는 듯했다. S가 그만두겠다고 말하면 K는 맞장구를 쳐주곤 했는데, 이날은 아무 말도 없었다. 그래 그만두자~. 그만둬버려~. 라고 속으로 생각했다.

일상으로

몇 달의 시간이 흘렀다. 아날로그 신호를 디지털로 변환하고 그 값을 해석하는 일은 고도로 압축된 데이터를 푸는 것과 같았다. K는 아직까지도 데이터의 구조를 분석하고 패턴을 찾으며, 정보에 대한 실마리를 찾고 있는 중이었다. 언론에서는 추가적인 성과가 없자 점차 전파에 대한 내용을 다루는 횟수가 줄어들기 시작했다. 마치 다시 몇 달 전의 일상으로 돌아간 것 같았다. 사재기하는 사람들도 없어졌다. 오히려 유통 매장에서는 과다 생산으로 인한 생활용품의 재고가 골칫거리가 되었다. 그렇게 이슈는 천천히 잊혀져 갔다. 그 와중에 방위 대책을 논의하는 팀에서는 방위군의 구성과 무기 체계에 대한 개발에 대해서 논의하면서도 한 편으로는 상류층의 사람들을 다른 별로 이주시키는 것에 대해서도 논의한다는 이야기가 들려왔다. 도망갈 사람들을

179

위한 대책까지 세우는 중이라는 소문이었다. 그런 이야기를 들으니 힘이 빠졌다. 힘이 없고 약한 이들을 보호하자는 의도가 아니라 가진 자들을 보호하기 위해서 싸워야 하는 것인가에 대한 실망이었다. 어려운 상황에서 그 민낯은 더욱 드러나는 법이다.

발견의 의미

K는 그동안의 접근이 뭔가 잘못되었을지도 있다는 생각이 들었다. 해결의 실마리는 가까운 곳에 있지 않았을까? 사실 간밤에 그러한 느낌의 꿈을 꾸었다. 집 앞을 나서는데 오래된 은행나무에서 환한 빛이 뿜어져 나왔다. 그 빛은 칠흑같이 어두운 공간에서 그 주변을 환하게 밝히고 있었다. 그때 K 앞에서 은행나무가 바라보며 웃고 있다는 느낌이 들었다. 환한 빛은 촉수처럼 뻗어 나와 K의 머리와 등과 허리를 감싸 안았다. 그의 어머니, 그리고 어머니의 어머니가 은행나무 옆에 서 있었다. 어릴 적 아기였던 자신의 모습을 떠올렸다. 아기의 손에는 기억의 열쇠가 들려있었다. 그 열쇠를 들고 커다란 문을 열자 그곳에 그의 사랑했던 사람들이 그를 반겨 주며 나타나고 있었다.

수 많은 사람들이 그에게 어떤 이야기를 전하고 있었다. 그 소리는 알 듯 모를 듯 들릴 듯 말 듯 환영을 보는 듯 했다.

무언가 좋은 일이 생길 것 같은 꿈을 꾸었던 것이었다. 전에도 안 풀리는 일이 있었을 때에 꿈에서 해결 방법을 찾은 일이 종종 있었다. 압축을 풀고 해석하는 과정을 중단하고 압축된 전체 전파의 구조를 다시 살펴보았다. 가장 마지막 부분에 독특한 신호가 있었다. 어쩌면 그것이 열쇠가 아닐까 하는 생각이 들었다.

그 신호를 문자로 변환해서 입력해 보니 모니터 화면에 한 줄로 깜박이는 검은 점이 나타났다. 뭔가 프로그램을 설치하는 것과 같았다. 아니 이 컴퓨터의 하드웨어를 분석하는 것처럼 보이기도 했다. 뭔가 설치되는 것 같더니 화면의 중간에 그림이 나타났다. 그 그림은 마치 한 생명체의 모습과 같았다. 길쭉한 몸에 하나의 머리와 4개의 다리가 있었다. 상단에 있는 2개의 다리는 짧았고, 하단에 있는

2개의 다리는 길쭉했다. 마치 직립 보행을 하는 생물로 추정되었다.

데이터를 해석하려고 했던 것이 문제였어. 자체적으로 실행할 수 있는 코드를 내장하고 있었던 거였다. K가 환호성을 지르는 바람에 주변의 연구원들이 몰려들었다.

로봇 AI

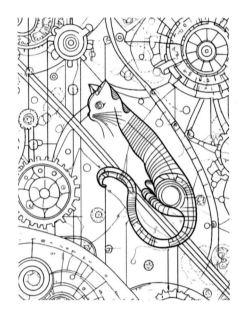

전파는 고도로 발달한 문명에서 보내온 인공지능 AI였다.
처음엔 그림으로 시작했지만, 곧 문자를 이용하여 소통할 수
있게 되었다. 소통을 통해 아기 공룡 둘리라는 존재에 대해

서도 알게 되었다. 침공에 대한 것은 오해였다는 사실에 모두가 안도감을 가졌다. 지구라는 별에 대해서도 알게 되었고 좌표를 조사해 본 결과 지구라는 별은 이제는 존재하지 않는다는 사실도 발견하였다. 외계 AI는 지구가 사라졌다는 사실에 적지 않은 충격을 받은 것 같았다. 정부에서는 이 모든 조사 결과를 비공개로 하기로 했다. 적어도 향후 50년 동안은 이 사실에 대해서 아무도 모르도록 캐비넷에 보관하기로 했다. 정치를 하는 이들은 캐비넷을 참 잘 이용한다. TV에서는 외계 전파의 수신이 하나의 해프닝이었다는 식으로 보도가 되었다.

K를 비롯한 연구원들은 우주국의 지원을 받아서 외계 AI가 제시한 정보를 바탕으로 로봇을 만들었다. 그리고 외계 AI는 그 로봇으로 옮겨졌다. 로봇은 정기적으로 우주국과 소통하며 정보를 제공하고 연구를 함께 진행하기로 했다. 그리고 이 로봇은 이 전파를 처음 발견한 K와 함께 생활하기로 했다. K는 로봇을 아저씨라고 불렀다. 로봇 스스로가 그의 존재를 로봇 아저씨라고 밝혔기 때문이었다.

로봇 아저씨를 가장 반겨준 이는 S였다. S는 로봇 아저씨와 함께 산책을 하고, 로봇 아저씨가 알려준 명상을 즐겼으며 가끔 낚시를 가기도 했다. 로봇 아저씨는 S에게 하늘하늘한 벚꽃이 온 세상에 떨어지던 그날의 기억을 들려주기도 했다. 가끔씩 노트를 꺼내어 멀고 먼 우주의 저편에서 당신에 대한 그리움을 글로 적기도 했다. S는 얼마 후 다니던 곳을 그만두었다. 그리고 로봇 아저씨의 이야기를 글로 쓰기 시작했다. 그녀의 글은 많은 이들이 읽게 되었고, 점차 조회수도 늘어갔다. 출판사와도 연결이 되었다. 그녀의 글을 책으로 내자고 연락이 온 것이었다.

이제는

존재하지 않는

역사의 공간에서

새로운

이야기들

그의 시크한 고양이와 낚시를 즐기는 이야기들도

함께

써내려갔다.

그리고,

로봇 아저씨는 가끔 지구가 있었던 방향의 하늘을 멍하니

바라보곤 했다.

"오래된 관절에서 서걱서걱 소리를 듣지 않아도 되는 새로운 몸이 생겼다. 그리고, 제법 똑똑한 고양이들과 함께 살게 되었다. 이제는 내가 그들을 돌보지 않아도 된다. 애초에 자유로운 영혼이었지만, 이제는 날개 달린 영혼이 되었다. 그러면 나는 행복한 로봇이 되어야 했다."

로봇 아저씨가 K의 집에 처음 왔을 때, 그를 반겨주었던 것은 높이 솟은 풍성한 나뭇가지에 바람이 살랑살랑 드나들던 커다란 은행나무였다. 로봇 아저씨는 은행나무를 보며 우와~ 하고 탄성을 지었다. 오래된 거목을 보니 그 마을을 지켜줄 것 같은 신령스러운 느낌에 저절로 고개가 숙여졌다. 처음 보았지만 그런 은행나무가 좋았다. 은행나무 아래에 앉아 있으면 자연스레 감성에 빠져드는 것 같았다. 로봇 아저씨는 은행나무 아래에 앉아 바람을 즐기고, 명상을 하고, 그녀를 생각했다. 은행나무는 그런 로봇 아저씨를 바라보며 늘 흐뭇한 표정을 지었다.

"영감! 아무래도 우리는 굵디 굵은 붉은 실로 연결된 인연이었나 봅니다. 멀고 먼 우주를 지나, 천년의 시간이 흘러 이렇게 다시 만나게 되니 말입니다. 이곳에 오기 전에 천사들을 만났답니다. 나에게 바라는 꿈이 있느냐고 묻더군요. 저는 영감을 다시 만나게 해 달라고 했어요. 그리고 우주 저 먼 곳에서 은행나무로 태어나고 싶다 했답니다. 당신과 함께 오래오래 지냈으면 했어요. 이렇게 긴 시간이 흐를 줄은 몰랐지만, 지금 저는 너무 행복합니다. 우리의 그리움이 결실을 맺었으니까요. 나는 당신 덕분에 항상 행복했어요. 하루도 행복하지 않은 날이 없었답니다. 당신과 마찬가지로 당신을 사랑하지 않은 날이 없었습니다."

나뭇가지가 흔들리며 쉬에에~ 하는 소리가 들렸다. 로봇 아저씨는 고개를 들어 은행나무에 바람이 지나가는 소리를 바라보았다.

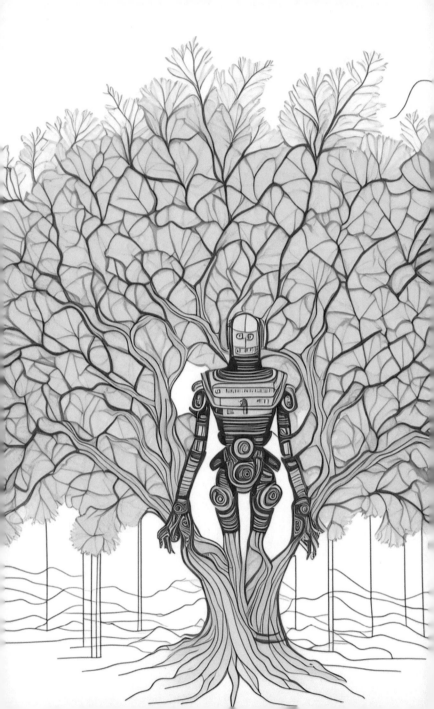

우주에서 늑대를 만난 아이

아이는 기이한 여행을 하고 있었다. 반짝거리는 유성이 아이의 곁으로 빠르게 스쳐 지나갔다. 수 없이 많은 별들이 각자의 길을 따라 이동한다. 그 흐름에 맞추어 이동하며 별을 관찰하고 있었다. 오늘은 칠흑같이 어두운 블랙홀 인근을 지나는 중이었다. 블랙홀 인근에서 노란 불빛이 찰랑거리고 있었다. 그 불빛을 지나자 우주 한복판에 늑대가 있었다. 스스로 형형색색의 빛을 내뿜는 커다란 늑대가 있었다. 헤아릴 수 없이 길고 긴 역사를 지닌 하나의 행성을 보는 것 같았다. 별빛만큼이나 아름다운 털을 지닌 거대한 늑대였다. 아이는 호기심에 멈추어 서서 늑대를 바라보았다. 할머니는 무엇이든 지켜보기만 하고 만지거나 말을 걸면 안 된다고 말씀하셨다. 우주 여행은 아이의 생일 선물이었다. 은행나무 할머니에게 조르고 졸라서 받은 선물이었다. 할머니도 이렇게 커다랗고 아름다운 늑대를 아이가 만날 줄은 몰랐을 것이었다.

한참 늑대를 바라보던 아이는 늑대가 착하고 점잖을 거라는 생각이 들었다. 날카로운 눈빛을 지닌 커다랗고 점잖은 늑대는 아이를 눈치채고도 아무런 반응을 보이지 않았다. 태초부터 그곳에 존재했던 것처럼 깊고 고요한 숨을 내쉴 뿐

주변의 어떠한 변화에도 흔들림이 없었다. 아이가 손을 흔들며 말을 걸어보았지만, 늑대는 아이의 언어를 듣지 못했다. 아이의 소리는 우주 공간에서 스르륵 사방으로 흩어질 뿐이었다. 늑대는 그저 날카로운 눈을 껌벅거리며 아이를 힐끗 바라보았을 뿐이었다. 아이는 할머니의 다짐이 떠올라 다시 입을 꾸욱 다물었다. 두 손을 주머니에 넣고 할머니가 챙겨준 사탕 몇 알을 움켜쥐었다가 다시 사탕을 이리저리 손안에서 굴리고 있었다. 그것은 늑대에게 사탕을 건네주고 싶은 생각이 들어서 하는 행동이었다. 아이는 늑대와 친구가 되고 싶었다.

아이가 주머니에서 사탕을 꺼내어 늑대에게 건네었을 때, 늑대는 그제서야 아이에게 친근한 미소를 지었다. 낯선 존재가 모두 두렵고 무섭기만 한 것은 아니었다. 늑대는 아이를 물어서 가볍게 등에 올리고는 저 멀리 푸른 행성을 향해 내달렸다. 내달리다 검은 공간을 박차며 높이 날아오르기 시작한다. 형형색색의 수 많은 별빛이 길게 이어지며 아이와 늑대의 주변을 감쌌다. 우리는 지금 빛 보다 빠른 속도로 우주를 유영하고 있는 거야! 아이는 늑대로부터 우주의 비밀을 느끼고, 이해하며 아름다움을 함께 나누었다. 아이는 우주에서 이 특별한 모험을 통해 색다른 생명체와의 만남이 얼마나 풍부하고 흥미진진한 경험이 될 수 있는 지를 깨달았다. 푸른 숲이 우거진 작은 별에 도착한 늑대는 땅 위에 아이를 내려 주었다. 그리고, 아이의 눈을 지긋이 바라보았다. 아이가 다시 늑대를 안으며 등에 올라타려 하자 늑대는 한 발 뒤로 물러서며 사탕을 보여주었다.

"또 타려면 사탕을 내야 해"

아이는 잠시 고민에 빠졌다. 사탕을 만지작거리고 있는데, 저 멀리서 아이를 부르는 소리가 들려왔다. 아이의 몸이 공중으로 떠오르기 시작한다. 몸이 좌우로 흔들리며 어디론가 빨려 들어가기 시작했다.

"그만 일어나야지~~"

눈을 감았다가 서서히 뜨는 아이의 머리 위에는 커다란 은행나무가 있었다. 오랜 시간 그 공간을 지켜온 풍요로운 느낌의 은행나무였다. 나뭇가지 사이로 차분하게 가라앉은 햇살이 보였다. 그때 솔솔 부는 바람이 은행나무 가지를 흔들고 있었다. 그리고 아이의 등을 토닥토닥 두드려주는 로봇 아저씨의 얼굴이 보였다.